# München · Traumstadt im Winter

Petra Moll · Wilfried Scharnagl

# MÜNCHEN
## Traumstadt im Winter

Echter Verlag

© 1976 Echter Verlag Würzburg

Gesamtherstellung: Fränkische Gesellschaftsdruckerei Würzburg

ISBN 3 429 00460 8

»München lag unter dem Schnee verborgen, und es war dunkel. Doch ich erkannte es, unsichtbar, geruchlos und stumm, an jenen Zeichen, die für die Städte merkwürdiger sind als ihre Hauptstraße, ihre Bavaria oder ihre Feuerwehr...« So schrieb 1922 der französische Dichter Jean Giraudoux, als er nach 15 Jahren zum erstenmal wieder in die bayerische Landeshauptstadt kam. München unter dem Schnee, München im Winter – eine Malerin wie Petra Moll, für die München zum großen und nie endenden Thema ihrer Kunst geworden ist, konnte am Wechsel der Jahreszeiten, der stets auch ein Wechsel des Gesichtes der Stadt ist, nicht vorbeigehen. Immer wieder hat sie den Winter in München gemalt, wie er Gewohntes verändert, wie er mit seinem weißen Akzent dem Bild der Stadt eine andere, zusätzliche Dimension gibt. München als Traumstadt im Winter – das ist nicht die große Einheitlichkeit, sondern ein sich aus unerschöpflicher Vielfalt ergebendes Gesamtbild. Es sei nicht leicht zu ergründen, weshalb diese Stadt eine so verführerische Wirkung habe, schrieb der Amerikaner Thomas Wolfe, für den München »eine Art von deutschem Paradies« war. Petra Moll macht diesen verführerischen Reiz mit ihren Bildern von der Traumstadt im Winter sichtbar – auf besondere Weise.

»Zu München hab ich gesehen das ninfenburg, das Schloß und den garten und die vier schlösser, nemlich amalienburg, badenburg, bagotenburg und die ermitage. amalienburg ist das schönste, worinnen das schöne bett ist und die kuchel, wo die kurfürstin selbst gekocht hat. badenburg ist das größte, wo ein sall ist von lauter Spiegeln, das bad von marmor. bagotenburg ist das kleinste, wo die Mauern von mrolika ist und die ermitage ist das sitzamste, wo die capel von muschel ist.« Elfjährig trug Maria Anna Mozart, des schreibfreudigen Wolfgang Amadeus schreibfreudige Schwester Nannerl, diese Schilderung in ihr vom Vater aufgetragenes Reisetagebuch ein. Das war 1763. Hundert Jahre zuvor hatte die Geburtsstunde von Schloß Nymphenburg geschlagen.

Den Anstoß dazu hatte freilich eine andere Geburt gegeben. Zehn Jahre lang hatten Kurfürst Ferdinand Maria und seine Gemahlin Henriette Adelheid, des Herzogs von Savoyen Tochter, auf einen Thronerben gewartet. Als Max Emanuel 1662 dann endlich in der kurprinzlichen Wiege lag, waren Freude und Dankbarkeit der Eltern übergroß. Der Bau der Hofkirche St. Cajetan, der Theatinerkirche, für den Fall der glücklichen Ankunft eines Erben versprochen, begann. Auch die Kurfürstin blieb nicht unbedankt: Ferdinand Maria erwarb für sie als Wochenbettgeschenk die in erreichbarer Nähe seiner Residenz westlich vor München gelegene Hofmark Ober- und Unterkemnath für 10 000 Gulden. Henriette Adelheid wollte sich hier einen südlich-heimatlichen Traum erfüllen, sich im herberen Bayern ein Lustschloß errichten, das, dem Jagdschloß Venaria bei Turin nachgebaut, lebendige Erinnerung an das nie vergessene Savoyen sein sollte. Die Kurfürstin, schön und lebensfroh, elegant und gebildet, hatte eine große Schar italienischer Künstler mit sich an den Münchner Hof gebracht oder später nachgeholt, Maler und Musiker, Bildhauer, Dichter und Architekten. So wurde die Planung des Schlosses, dessen Name Nym-

6

Petra Moll

phenburg bald feststand und das auch in bayerischen Wintern ein Sitz sommerlich-italienischer Heiterkeit sein sollte, Baumeistern aus dem Süden übertragen: Agostino Barelli aus Bologna machte sich ans Werk, ihm folgte Enrico Zucalli aus Rovereto. Wie es des bedächtigen und haushälterischen Ferdinand Maria Art war, wurde nun der Bau des »borgo dell' ninfe« keineswegs ohne Rücksicht auf die Kosten vorangetrieben. Die »Paurechnung über die bey der Durchlauchtigsten Fürstin Henriette Adelheid inhabenden Schwaig Nymphenburg« verzeichnet für das erste Jahr lediglich Ausgaben in Höhe von 5680 Gulden. So ist, als die Kurfürstin 1676 stirbt, noch nicht vierzig Jahre alt, von ihrem Gemahl und von ihrem Volk tief betrauert, der würfelförmige, fünfgeschossige Bau erst nach außen vollendet.

Das bescheidene Maß, das Ferdinand Maria und Henriette Adelheid gesetzt hatten, genügte nicht mehr, als sich der Sohn und Erbe Max Emanuel Nymphenburgs annahm. Freilich, zunächst suchte und fand der neue Kurfürst Ruhm und Ehre nicht als Bauherr, sondern in Krieg und Kampf. Ganz Europa sprach vom bayerischen Kurfürsten, seine Heldentaten in den Türkenkriegen häuften Glanz und Ansehen auf Max Emanuel, den »blauen König«. Zwar wurde in Nymphenburg weitergebaut, der Schwerpunkt der kurfürstlichen Baulust aber wurde nach Schleißheim verlegt, wo das Schlößchen Lustheim entstand, wo ein riesiger Schloßgarten angelegt, wo schließlich das Neue Schloß geplant wurde. Nach der Jahrhundertwende erst, als Max Emanuel von zehnjähriger Statthalterschaft aus den Niederlanden nach München zurückkehrte, war Nymphenburg an der Reihe: Zucalli lieferte, unterstützt von Giovanni Antonio Viscardi, die Pläne, durch die nach des Kurfürsten Vorstellungen aus dem Lustschloß seiner Mutter eine Sommerresidenz nach dem Beispiel von Versailles entstehen sollte. Noch einmal aber kommt Max Emanuels Verstrickung in europäische Großmachtpolitik dazwischen – 1704 beginnt der große Krieg um das spanische Erbe, aber auch das große Elend für Bayern. Als der Kurfürst nach zehnjähriger Abwesenheit nach Bayern zurückkehrt, ist das Land verarmt und verschuldet.

Doch Max Emanuels Baulust ist ungebrochen. Die Bestätigung fürstlicher Größe, die in Politik und Krieg nicht zu holen war, soll nun im Bauen gefunden werden. Kurfürstlicher Hofbaumeister wird Joseph Effner, Sohn des Dachauer Hofgärtners. Wer immer aber die Pläne zeichnete und ihre Ausführung überwachte, des Kurfürsten Ideen selbst bestimmten das Gesicht des Nymphenburger Schlosses. Max Emanuel wies auch in glücklicher Erinnerung an seine Mutter alle Versuche seiner Baumeister zurück, schon Stehendes zu beseitigen und einen völlig neuen Bau zu beginnen. So stellt das Schloß der Henriette Adelheid heute noch den Kern der Schloßanlage dar.

Schon zu Zeiten seiner Entstehung galt Nymphenburg den Besuchern als eines der bewundernswertesten Schlösser überhaupt, sein Park als eine der schönsten Anlagen in ganz Deutschland. Acht Millionen Gulden gab Max Emanuel in zehn Jahren für seine Bauvorhaben aus; als er 1726 starb, war sein Land mit 30 Millionen Gulden verschuldet. Mit Nymphenburg aber hatte er sich ein Denkmal gesetzt, das die Jahre des Unglücks für Land und Fürst überdauern und die Erinnerung daran verblassen lassen sollte. Vier Jahre vor Max Emanuels Tod hatte Kurprinz Karl Albrecht die Kaisertochter Maria Amalie geheiratet. Das glänzende Hochzeitsfest in Nymphenburg verhieß Bayern ein strahlendes Morgen. Pierre de Bretagne, französischer Beobachter der Festlichkeit, faßte frohlockend zusammen: »Glückseliges Bayern, einst hat der zornige Mars blutige Greuel über dich verhängt, in Zukunft wirst du nur ein glückliches Los genießen, die schwarzen Wolken sind verscheucht, der Himmel selbst begünstigt deine Wünsche!«

*P*runk und Pracht des Hauptschlosses und des Parks allein genügten den höfischen Ansprüchen der bayerischen Kurfürsten nicht mehr. Vater und Sohn, Max Emanuel und Karl Albrecht, mochten ihr französisch orientiertes Repräsentationsbedürfnis, das ein wesentliches Stück fürstlich-bayerischer Selbstdarstellung war, nicht mit Bau, Ausbau und Ausstattung des Nymphenburger Hauptschlosses erledigt sein lassen. Zu viele verlockende Möglichkeiten und einladende Plätze bot der Park, wo kostspieliger und phantasievoller Bautrieb sich ausleben konnte. »Erlustrierende Augenweide vorstellend die herrlichen Palatia und Gärten, so Ihre Churfürstliche Durchlaucht in Bayrn Maximilian Emanuel zu deren unsterblichen Ruhm erbauen lassen« nannte Mathias Disel, als Ingenieur für die Hof- und Lustgärten berufen, sein dekoratives Kupferstichwerk, das in pracht- und liebevollen Ansichten höfischen Glanz und höfisches Leben in Nymphenburg festgehalten hat.

Die »Augenweide« wurde von den kurfürstlichen Bauherren mit immer neuen Glanzpunkten versehen, mit baulichen »Stützpunkten« gewissermaßen, die für notwendig erachtet wurden, um den Anforderungen an das gesellschaftliche Leben eines regierenden Hauses genügen zu können. Im Park von Nymphenburg wurde gejagt und getanzt, wurden Theateraufführungen inszeniert und Feste aller Art gefeiert, wurde, vor allem, gespielt – das »Jeu des passes« beispielsweise, das von Max Emanuel selbst erfunden worden sein soll und bei dem es darum ging, ähnlich dem Krocket, eine Kugel in dreizehn eiserne Öffnungen zu schieben; gespielt wurde das »Jeu des quilles«, ein russisches Kegeln; gespielt wurde das »Mail«, ein Laufspiel, bei dem an der Bahn kleine Wagen bereitstanden, um die hochgeborenen Spieler zu ihren Kugeln zu bringen. An dieser Mail-Bahn entstand, als Platz des Ausruhens gedacht, die Pagodenburg.

11

Den Plan zu seinem »Maison des Indes«, zu seinem »Indischen Haus«, soll Max Emanuel, zumindest vom Grundriß her, selbst gezeichnet haben. Der Architekt des achteckigen Baus mit vier in der Kreuzrichtung angefügten Verlängerungen aber war Effner. »Das 1716 erbaute Haus steht zwar den übrigen Gartengebäuden nach, zeichnet sich aber aus durch geistreich erfundene Gestalt, zweckmäßige Einteilung und geschmackvollen Schmuck der inneren Räume«, urteilt ein anderer Stern am bayerischen Bauhimmel jener Zeit, François Cuvilliés, aus dem Zwiespalt des Konkurrenten heraus über das »Gartensalettl« im asiatischen Geschmack der Zeit. Trotz ihres Namens mutet die Pagodenburg von außen her nicht chinesisch-indisch an, die Innenausstattung ist es, die den exotischen Akzent setzt: Blaubemalte Kacheln, die damals als typisch fernöstlich galten, bizarre Ornamente und eine phantasiereiche Deckenbemalung im Parterre, zwei Lackkabinette im Obergeschoß, das eine in Schwarz, das andere in Rot; in »indianischer Art« sind die Wände bemalt, farbprächtige Vögel wiegen sich auf Blütenzweigen – Kontrast zu klimatischer bayerischer Wirklichkeit, der im Winter so recht erst zur Geltung kommt, jener Winter, der sich auf einer der vielen blauen Kacheln, mit denen der Aufgang, der Erd- und Obergeschoß verbindet, geziert ist, in niederländischer Idylle findet, mit Eis und Schnee, mit Schlittschuhlaufen und Schlittenfahren.

Die Illusion der Vergangenheit geht mühelos in das Bild der Gegenwart über, winterlich-spielende Kinder vor der Fassade der Pagodenburg, bürgerlich-demokratische Selbstverständlichkeit vor absolutistischer Erinnerung. Wo fröhlicher Kinderlärm schallt, stand einst Prinzregent Luitpold und fütterte zu kalter Jahreszeit die Schwäne. Und König Ludwig I., der München zur strahlenden Hauptstadt der bayerischen Lande werden ließ, hielt sich mit Königin Therese besonders gern in der Pagodenburg auf.

*Max Emanuels »Indisches Haus«: die Pagodenburg*

Freilich, die Geschichte des Nymphenburger Parks als Ort auch bürgerlichen Lust-
wandelns und Ergötzens geht weiter zurück als in die Zeiten Ludwigs I. oder des
Prinzregenten. Auch wenn ihm nicht wie seinem Vorgänger Max III. Joseph vom
Volk der ehrende Beiname eines »Vielgeliebten« gegeben worden war, war es der
nach dem Aussterben der bayerischen Linie auch in München zur Regierung ge-
kommene Pfälzer Wittelsbacher Karl Theodor, der den Nymphenburger Park für
die Allgemeinheit öffnen ließ. Aus Zaungästen wurden die Münchner zu offiziell
zugelassenen Spaziergängern, wobei sich für die Kenner unter ihnen eine jahreszeitliche Vorliebe herausbildete, die sich in nicht wenigen Fällen bis auf den heutigen Tag bewahrt hat. Im Sommer, wenn das Heer der Touristen durch Schönheits-
galerie und Steinernen Saal, durch Park und Pagodenburg, durch Amalienburg und
Badenburg strömt, halten sich die Kenner zurück.

Sie kommen im Winter: wenn die zwei steinernen Löwen, die an der Gartenseite des
Schlosses, gestützt auf mächtige bayerische Wappen, Wache halten, sich umwölkten
Auges anblicken, als wollten sie über die Kälte Klage führen; wenn die Fontänen
und Brunnen samt zugehörigen Göttern und Putten in eisige Ruhe gezwungen sind;
wenn der Blick des aus Stein gehauenen Gottes der Unterwelt, der in klassisch-
mythologischer Gesellschaft den Park ziert, verdrossen ins Dunkel der schützenden
Holzverkleidung geht. Ein Besuch im Marstallmuseum bringt nicht nur die Begegnung mit Kutschen und Krönungswagen, sondern auch mit Schlitten, reich geschnitzt
und prunkvoll vergoldet. Einer von ihnen gehörte Ludwig II., dem in Nymphenburg geborenen König zwischen Traum und Tag. Und ein Gemälde zeigt ihn, wie er
im von vier Schimmeln gezogenen goldenen Schlitten durch die Nacht der bayerischen Bergwelt fährt – Winter von Landschaft und Seele gleichermaßen.

15

Nur wenige hundert Meter entfernt endet, von Augsburg kommend, die Autobahn. Tut man den Schritt durch das Tor, läßt es hinter sich zufallen, ist man in einer anderen Welt. Das Rauschen nie endenden Verkehrs entrückt in ungreifbare Ferne. Im Schloßhof von Blutenburg gewinnt die Zeit einen anderen Maßstab, zählt nicht mehr nach Sekunden oder Minuten, Stunden oder Tagen, sondern nach Jahrhunderten. Millionenstadt, Weltstadt, Ballungszentrum – Begriffe, die leer werden an diesem Platz am Rande der großen Stadt. Wilhelm Hausenstein, der München geliebt und erfühlt hat wie wenig andere und der das Wesentliche aufzuspüren und schreibend darzustellen vermochte wie ebenfalls kaum ein anderer, hielt Aschermittwoch und Allerheiligen für die rechten Tage, einen Gang zur Blutenburg zu tun: »Ich habe mir eine Gewohnheit daraus gemacht, die Tage einzuhalten, wenigstens ungefähr. Dort, gerade dort stehen sie mir im Gleichgewicht, und von den zwei Spaziergängen nach Blutenburg im Vorfrühling und im Spätherbst empfängt mein Jahr einen Teil seiner Ordnung. An Allerheiligen denke ich, der Herbst von Blutenburg sei schöner: der Herbst, der die Welt in feuchter Erde, unter feuchtem braunen Laub begräbt; der Hoffnungen und Wünsche still macht, indem er sie sanft tötet; der Schmerzen lindert, indem er sie verewigt und in den Weihrauchgeruch der welkenden Natur hüllt. Am Aschermittwoch scheint mir der Vorfrühling schöner, wiewohl er auf die Sehnsucht, die er keimen macht, die Last einer himmlischen Schwermut legt.« Im Winter aber gerinnt die Blutenburger Wirklichkeit zu kristallener Besonderheit. Zur Nachdenklichkeit tritt eine schier unwirkliche Stille, eine Stille, die auch in den Farben aufscheint, und dies nicht nur im Weiß des Schnees.

»Blütenburg« nannte Herzog Sigismund von Bayern sein in Menzing an den Ufern der Würm gelegenes Schloß. 1438, ein Jahr vor Sigismunds Geburt, hatte der Vater,

*Große Schätze in einer kleinen Kirche: Schloßkapelle Blutenburg*

Albrecht III., das Schloß Menzing, wie es zu dieser Zeit noch hieß, gebaut. Das war jener Albrecht, der sich in heimlicher Ehe der schönen Augsburger Baderstochter Agnes Bernauer vermählte, die dann 1435 in Straubing, nach einem schandbaren Scheinprozeß, durch den Henker ertränkt wurde, um Platz für eine standesgemäße Herzogin zu schaffen. Nach des Vaters Tod übernahm Sigismund, zwölf Jahre alt, zusammen mit einem älteren Bruder die Regierung, wurde dann, als dieser an der Pest starb, Alleinregent. Indessen stand ihm der Sinn weniger nach Staatsgeschäften denn nach kostspieligen Liebhabereien und kunstfrohem Leben. Sigismunds Schuldenwirtschaft ebnete dem jüngeren und ehrgeizigen Bruder Albrecht mit Hilfe der »Landschaft«, der bayerischen Ständevertretung, den Weg in die Mitregierung. Sigismund trug es nicht nur mit Fassung, er war zufrieden mit dieser Entwicklung. 1467 zog er sich völlig aus der ihm so lästigen Politik zurück und überließ dem Bruder das Alleinregiment, da er, wie es in der Abdankungsurkunde hieß, »infolge der Blödigkeit (Kränklichkeit) seines Leibes nicht gern Müh und Arbeit trage, mehr geneigt, ein ruhiges Leben ohne alle Bekümmernis zu führen«.

Diesen lebenslustigen Vorsatz tatkräftig zu verwirklichen, gelang Sigismund auf das vortrefflichste. Schloß Blutenburg, in herrlichen Wäldern gelegen, wurde zu einem fröhlichen und von den Zeitgenossen bestaunten Musenhof. »Ihm war wohl mit schönen Frauen und mit weißen Tauben, Pfauen und Meerschweinchen und Vöglein und seltsamen ausländischen Tieren, auch mit Singen und Saitenspiel«, notierte der Geheimschreiber des regierenden Herzogs Albrecht IV. über den aus der Art geschlagenen Bruder. Dennoch hat das mit so leichter Hand geführte Leben Sigismunds Spuren hinterlassen, ohne die München schlechterdings nicht denkbar wäre: Am Lichtmeßtag des Jahres 1468 legte der kunstsinnige und baufreudige Herzog den Grundstein zur Münchner Frauenkirche. Die gleichen Baumeister aber, die dort wirkten, schufen die Schloßkapelle, die heute mit ihrem im Barock aufgesetzten Türmchen Kernstück und Kleinod von Blutenburg ist, bedeutsamstes Zeugnis spätmittelalterlicher Kunst in München.

Selten, daß in einem so kleinen Kirchenraum so großartige Schätze geborgen sind wie in Blutenburg. Da ist der Hochaltar des polnischen Malers Jan Polak: in der Mitte Gott Vater, die Taube des Heiligen Geistes auf der Schulter, den gekreuzigten Sohn in den Armen, auf dem einen Altarflügel die Taufe Christi, auf dem rechten die Krönung Mariens. Da sind die Glasfenster: Die Darstellungen der Verkündigung und des Leidens Christi hat der gleiche »Martin der Glaser« geschaffen, der auch in der Frauenkirche gewirkt hat. Da sind die zwölf Apostel: Sie gelten als Hauptwerke der Plastik des ausgehenden Mittelalters. Und da ist die Blutenburger Madonna: »Sie haben das Auto erfunden / und knattern im Flugzeug / über dich hin. / Doch die Stille deiner Augen zu formen, / dies Wunder der Einfalt, / finden sie nicht mehr«, hat Joseph Maria Lutz, der bayerische Dichter, über sie geschrieben.

Als 62jähriger war Herzog Sigismund 1501 in seinem geliebten Blutenburg gestorben. Über 130 Jahre der Vergessenheit und Stille folgten, ehe die Schweden 1632 das Schloß und die Kirche brandschatzten. Nach mehrfachem Besitzerwechsel gelangte Blutenburg unter Max Emanuel in kurfürstlichen Besitz. 1866 zogen die Englischen Fräulein ein, 1957 folgte die Krankenfürsorge des Dritten Ordens – nicht mehr mittelalterliches Singen und Saitenspiel in Gesellschaft von Tauben oder Pfauen, tätiger Einsatz frommer Frauen im Dienst am Nächsten bestimmten das Leben in Blutenburg. Aber auch sie sind ausgezogen. Obermenzinger Bürgersinn ist auf der Suche nach sinnvoller Verwendung, um die Blutenburg lebendig zu erhalten.

20

Mochte Wilhelm Hausenstein zweimal im Jahr nach Bluten-burg kommen, nach Bogenhausen kam er zu längerem Aufenthalt; dort hat er, im Friedhof der St.-Georgs-Kirche, unter schlichtem schmie-deeisernem Kreuz, seine letzte Ruhestätte gefunden. 1957 ist er, Schriftsteller und Kunstkenner, Literat und Diplomat, gestorben. 54 Jahre zuvor war der junge Student aus dem badischen Hornberg nach München gekommen, hatte seine ersten Schritte in der Stadt an der Isar an einem Morgen getan, als der Regen in Schnee übergegangen war. »Groß und schwer und gleichmäßig sanken die Flocken. Er stand zwischen den zwei Brunnenschalen vor der Universität. Noch sprudelte über ihnen das Wasser nicht; sie standen leer. Er sah eine breite, beängstigend großartige und wunderbar nüchterne Straße hinauf, deren Ziel sich hinter dem Vorhang aus Schnee verlor«, hat Hausenstein über diesen Tag und über sich geschrieben.

Dörflicher Friede, der sich im Winter vervielfacht, umgibt sein Grab, wie er den letzten Schlaf jener umhüllt, die den Bogenhauser Kirchhof mit ihm teilen. Verwur-zelte Enge ländlichen Ursprungs und weltstädtische Offenheit treffen in diesem Friedhof aufeinander, sich in selbstverständlicher Harmonie ergänzend. Josef Sel-mayr, königlicher Kommerzienrat, Landrat, Gutsbesitzer und letzter Bürgermeister von Bogenhausen, der, 1909 gestorben, an der Kirchenmauer ruht, mag für die Zeit stehen, als das Dorf Bogenhausen in reicher historischer Selbständigkeit vom ande-ren Ufer der Isar hinüberblickte auf die geschäftige Haupt- und Residenzstadt. Eine Reihe anderer Namen, in Stein gemeißelt oder sorgsam auf die Namensschilde eiserner Grabkreuze gemalt, steht als ein Beweis dafür, daß das 400 Jahre vor München schon urkundlich genannte Dorf längst verwachsener Teil der Stadt ge-worden ist: Annette Kolb liegt hier begraben und der knorrig-charaktervolle Carl Wery, Gustl Waldau und der Dirigent Hans Knappertsbusch, Liesl Karlstadt und

der kantig-geniale Oskar Maria Graf. Die Kinder aber, die im Schatten der Georgs-
kirche ihrem Wintervergnügen nachgehen, sind, wenn auch mit anderem Dialekt,
nicht anders als jene, die im »Fliegenden Klassenzimmer« versammelt waren oder
mit »Emil und den Detektiven« Jagd auf den Dieb machten – auch Erich Kästner
liegt im Bogenhauser Friedhof begraben.

»Daß die Nachrichten über Bogenhausen sich so spärlich finden, mag seinen Grund
darin haben, daß selbes wohl immer ein Pfarrdorf, nur von Bauersleuten bewohnt,
gewesen und eines hohen und adelichen Geschlechtes und Sitzes entbehrt hat«,
klagte Michael Lampart, Pfarrer bei St. Georg, als er sich 1865 daranmachte, »einige
Beiträge zur Geschichte des Pfarrdorfes Bogenhausen bei München« zu veröffent-
lichen. Erstmals wird der Ort »pupinhusun«, Pupenhausen, bei den Häusern des
Pubo, in einer zwischen 776 und 779 ausgestellten Urkunde genannt. Kein Wunder, daß bei diesem ehrwürdigen Alter Bogenhausen zur Mutterpfarrei zahlreicher
Kirchen des heutigen München wurde: Über Jahrhunderte waren die Gotteshäuser
von Haidhausen und Au, von Giesing, Gronsdorf, Haar und Harthausen, von
Denning, Riem und Trudering Filialen von St. Georg in Bogenhausen. Nicht immer
aber läßt sich ein reiches historisches Erbe erhalten oder gar ausbauen. Traurig beschreibt Pfarrer Lampart den Niedergang: »Im Verlauf der Jahrhunderte ist es der
alten Mutterpfarrei Bogenhausen ergangen wie so mancher besorgten Mutter in
Ausstattung ihrer Töchter. Viel zuviel hat sie von ihrem Vermögen hergegeben,
und es ist ihr nur ein spärlicher Austrag geblieben. Ihre Töchter sind stattlich heran-
gewachsen; das Mütterlein aber ist immer mehr zusammengeschrumpft; die stolzen
Töchter haben ihrer vergessen, sehen mit Verachtung auf sie herab, und sie fristet
nunmehr ein kümmerliches Dasein.« In der Tat klingt die Bestandsaufnahme Lam-
parts kärglich: »Gegenwärtig enthält die Pfarrei eine Seelenzahl von circa 800

22

*Wo Dorf und Großstadt sich treffen: St.-Georgs-Kirche in Bogenhausen*

Individuen, mehrere Gasthäuser, worunter das freundliche Brunnthal mit seinen erfrischenden Wasserquellen, dem schönen herzoglichen Garten, das altberühmte Gastwirthshaus zu Bogenhausen, und als vornehmste Zierde die Sternwarte.«

Eines allerdings wurde in dieser Aufzählung vergessen, die St.-Georgs-Kirche selbst. Johann Michael Fischer, der mit seinen Kirchen das Gesicht Bayerns in so außerordentlicher Weise mitgeprägt hat, legte 1759 die Pläne für einen Neubau zwischen dem Turm und dem spätgotischen Chor vor; 1768 – Fischer war schon zwei Jahre zuvor gestorben – war der Bau vollendet. Ein Juwel der Baukunst des späten Rokoko war entstanden, das seinen Glanz besonders auch durch den Rang der Künstler erfuhr, die an der Ausschmückung des Kircheninneren beteiligt waren. Philipp Helterhof, ein Schüler des Johann Baptist Zimmermann, schuf die Fresken, Johann Baptist Straub den Hochaltar, Ignaz Günther Seitenaltäre und Kanzel. Die Plastiken – selbstverständlich fehlen, wie es sich für den dörflichen Standort gehört, die Bauernheiligen Leonhard und Isidor nicht – zählen zu den besten Werken Ignaz Günthers überhaupt.

Hundert Jahre später aber erhalten die Künstler vom Bogenhauser Pfarrherrn schlechte Zensuren. »Die Auszierung der Kirche, bei welcher das kostbarste Material, wie die reiche Vergoldung der Altäre bezeugt, nicht gespart wurde, fiel nicht glücklich aus. Die Altäre sind in reinstem Zopfstyle gefertigt, und die Statuen lauter Theaterprinzen und Prinzessinnen oder idyllische Schäfer und Schäferinnen«, rügt Lampart. Offensichtlich hat dieser Chronist Bogenhausens voller Verbitterung seine Feder geführt. »Die Berghänge am Pfarrhof, die nichts als Verdruß einbrachten, wurden in den Jahren 1850 und 1851 verkauft«, notierte er zornig. Die Kinder von Bogenhausen, denen diese Hänge Plätze winterlichen Vergnügens geworden sind, spüren von diesem Verdruß nichts.

Die unverwechselbare Silhouette Münchens, gezeichnet durch Türme, deren keiner dem anderen gleicht, bietet sich dem Beschauer von keinem anderen Blickwinkel aus vom Wandel der Zeiten so unberührt wie vom Englischen Garten, dem Tempel des Monopteros her: der Turm der Peterskirche, der Alte Peter, Symbol Münchner Gefühlsbeständigkeit, das in der Melodie »Solang der Alte Peter . . .« immer wieder erklingenden Ausdruck findet; der Turm des neugotischen Rathauses, den Marienplatz, die geographische Mitte der Stadt signalisierend; die Doppeltürme der Frauenkirche, das geistliche Zentrum kennzeichnend; die barocken Kuppeln von St. Cajetan, der Theatinerkirche, einen südlich-italienischen Punkt in den Münchner Himmel setzend. Der Monopteros als Münchner »Belvedere«, als Hügel und Tempel des schönen Ausblicks, der dem Erschauen und Erfassen Münchens mit Aug' und Herz Grundlage gibt: Über die Weite schneebedeckter Wiesen geht der Blick auf die Stadt, angerändert durch das Filigran aus Zweigen und Ästen, die durch die weiße Last des Winters zweifache Struktur gewinnen, in doppelter, in dunkler und in weißer Linienführung ihre Muster zeichnen.

Zeigt sich vom Monopteros her das Münchner Stadtbild in majestätischer Ruhe, so ist München rings um den Monopteros um so lebendiger. Jahreszeitliche Ausnahmen gibt es da nicht. Hängt im Sommer Gitarrenklang zwischen den Bäumen, so ist es im Winter fröhliches Geschrei von Schlittenfahrt und Schneeballschlacht; ist es im Sommer träumendes Liegen im Gras, wobei der Zweisamkeit Vorrang vor der Einsamkeit gegeben wird, so ist es im Winter der Spaziergang im Englischen Garten, der, das Wegenetz nur recht gewählt, zu einem Wandern ohne Ende werden kann. Eugen Roth, »ein Mensch«, den nicht nur München nie vergißt, hat in einer »Lobrede auf den Englischen Garten« dessen Bedeutung für den Lebenslauf des

*Königlicher Bau auf königlichem Hang: der Monopteros*

Münchners geschildert: »Der Knabe Indianer spielt, / Das Mädchen ängstlich Flieder stiehlt, / Der Jüngling dichtet hier und trachtet! / Der Backfisch (meint man) schwärmt und schmachtet, / Der Liebe Flammen riesengroß, / Umlodern den Monopteros. / Nicht nötig dazu ist der Mai, / Man geht auch winters zwei und zwei.«

Nimmt man die erfreulichen Erfahrungen, die Münchner und Gäste der Stadt seit knapp zweihundert Jahren mit dem Englischen Garten gemacht haben, als Maßstab, so verdienen die Initiatoren und die Gründer heute noch höchstes Lob. »Da S. Ch. Durchlaucht nicht nur allein den Truppen alle mögliche Bequemlichkeit und Vortheile, sondern auch Alles was zu ihrem Vergnügen und Zufriedenheit beitragen gnädigst zu verschaffen und das Militaire auch in allen Fällen auf den Vortheil und Ergötzung des Bürgerstandes anwendbar zu machen gesonnen sind, so haben Höchstdieselben beschlossen, in jeder Garnison einen militairischen Garten anlegen zu lassen«, hatte Bayerns Kurfürst Karl Theodor im Februar 1789 von Mannheim aus dekretiert, ohne nicht auch noch ausdrücklich darauf hinzuweisen, daß dieser Militärgarten »nicht nur allein zum Vortheil und zur Ergötzung des Militaires, sondern auch zum allgemeinen Gebrauch als ein öffentlicher Spaziergang sowohl für das Civile als das Militaire dienen solle«. Und in einer Entschließung vom 13. August desselben Jahres bekräftigte der Kurfürst noch einmal, daß er »den hiesigen Hirsch-Anger zu allgemeiner Ergötzung für deren Residenzstadt München herstellen zu lassen und diese schönste Anlage der Natur dem Publikum in ihren Erholungs-Stunden nicht länger vorzuenthalten gnädigst gesonnen« sei. Der Englische Garten, zunächst nach seinem Stifter Theodor-Park genannt, war geboren – in denselben Tagen, zur zeit- und weltgeschichtlichen Einordnung sei es angemerkt, in denen in Paris die große Revolution ausbrach.

Indessen stammte die Idee zur Stiftung eines Volksparks in München nicht von

Karl Theodor selbst, einem der letzten Vertreter absolutistischer Fürstenherrschaft. Gedanke und Anstoß kamen von einem Amerikaner, von dem 1753 in Massachusetts geborenen Benjamin Thompson, der als Offizier im amerikanischen Unabhängigkeitskrieg auf englischer Seite gekämpft und danach durch seine Tüchtigkeit in London dem König aufgefallen war. Von Englands König zum Ritter geschlagen, fiel Sir Benjamin dem bayerischen Gesandten am Hofe von St. James auf. 1784 trat Thompson in kurpfalz-bayerische Dienste; als Oberst, als Generalmajor, als Kämmerer und Leibadjutant empfahl er sich dem Kurfürsten durch umfassende Fähigkeiten in so außerordentlicher Weise, daß er 1788 gleichermaßen zum Polizei- wie Kriegsminister ernannt wurde. Ein Kopf von tausend Ideen, Thompson riet dazu, Militärgärten anzulegen und jedem Soldaten ein Beet zur Bearbeitung zuzuweisen, zur besseren Ausbildung und Fürsorge, aber auch aus ökonomischen Gründen. Aus dieser Überlegung heraus, die vom Kurfürsten sofort akzeptiert worden war, entwickelte sich für München der Englische Garten.

Ludwig I. wäre nicht er selbst gewesen, hätte er nicht einen eigenständigen baulichen Beitrag zur Gestaltung des Theodor-Parks geleistet. Dieser Beitrag fiel – auch nach seinen stolzen Baukosten von 42 000 Gulden – wahrhaft königlich aus: Es war der Monopteros, ein zehnsäulig-ionischer Tempel von klassischer Einfachheit und Schönheit. Leo von Klenze hat ihn auf tiefem, bis zum festen Grund hinabreichenden Fundament errichtet. Der Hügel, den der Monopteros so natürlich gewachsen krönt, wurde nachträglich angeschüttet. Tatsächlich also ein königlicher Hang, der jetzt Münchner Kindern als Schlittenbahn dient!

$\mathfrak{E}$in Hauch von geölten Bodenbrettern umweht das im Herzen des Englischen Gartens gelegene Karussell auch im Winter. 1913 wurde die Kinderattraktion, die ebenso Erwachsene anrührt, von dem Bildhauer Josef Erlacher gebaut. Nicht modisch-gemachte Nostalgie, die konkrete Begegnung mit einer heilen Kindertraumwelt vergangener Zeit gibt dem auf zwölf hölzernen Säulen ruhenden Karussellbau seine besondere Anziehungskraft. Storch und Strauß, Schwan und Steinbock, Lama, Giraffe und Hirsch, Pferde und Kutschen sind aus solidem, lebendigem Holz geschaffen, nicht aus seelenlosem Kunststoff gegossen. Altmodische Farbenpracht läßt die Schimmel strahlen, weiß-blau leuchten die holzgeschnitzten Federbuschen am Geschirr. Und wer die Kutsche nicht mag, dem steht jahreszeitlicher Wechsel offen, er kann umsteigen in zwei prächtige Schlitten. »Schlittenfahren und dazu auch Reiten / Macht Fröhlichkeit zu allen Zeiten« ist auf einem von ihnen zu lesen.

Das Karussell vom Jahrgang 1913 ist nicht das erste seiner Art, das im Englischen Garten zu fröhlicher Rundfahrt lädt. Schon in den zwanziger Jahren des vorigen Jahrhunderts stand am gleichen Platz, in unmittelbarer Nähe des Chinesischen Turms, ein reizvolles Biedermeier-Karussell, geschätzte Zutat zum »Prater« des Englischen Gartens. Es war vortrefflich für die Beschäftigung der Kinder geeignet, wenn sich die erwachsenen Bürger anderen Vergnügungen, dem Tanz etwa und gastlicher Einkehr bei Speis und Trank in der ebenfalls am Chinesischen Turm errichteten Wirtschaft, hingaben. Dabei konnte sich Friedrich Ludwig Sckell, der Thompsons Park-Idee in Plan und Wirklichkeit umgesetzt hatte, nie so recht mit diesem Turm anfreunden und unternahm immer wieder, freilich vergebliche, Vorstöße zu seiner Beseitigung. Daß dieses Vorhaben Sckells, der, ehe er zum »Intendanten des gesamten bayerischen Gartenwesens« ernannt und 1808 mit dem persönlichen Adel geehrt wurde, Gartendirektor in Schwetzingen gewesen war, ohne Erfolg blieb, war nach dem Herzen der Münchner.

Für sie wurde, wie der 1969 verstorbene Theodor Dombart, der Geschichte und Wesen des Englischen Gartens wie kein anderer erforscht hat, feststellte, der Chinesische Turm zu einem »Nolimetangere«, »nicht bloß der Mittelpunkt des alten Parkbestandes, sondern geradezu die Achse, um die sich das ganze Leben des Englischen Gartens dreht, ja förmlich zum Wahrzeichen dieses Münchner Volksparks«. Der Fürst aber empfand nicht anders als das Volk: Als am 25. Mai 1790 Benjamin Thompson für »Seine churfürstliche Durchlaucht« die erste Besichtigungsfahrt durch den Park, der aus dem Hirschanger vor dem Schwabinger Tor nach erst einem Jahr der Arbeit entstanden war, organisierte, ließ er das Eintreffen am Chinesischen Turm und seine Besteigung durch Karl Theodor zum dramatischen Höhepunkt werden. Die Durchlaucht stieg über die »im Mittelpunkt sich hinaufwindende, sehr bequeme und breite Treppe« empor, »wo höchstdieselbe von einigen Stockwerken der herrlichen Aussicht genossen«. Karl Theodor war überwältigt.

Die Zufriedenheit fand ihren Niederschlag in einer ehrenvollen Rangerhöhung für Sir Benjamin Thompson: Als Karl Theodor nach dem Tode Kaiser Leopolds das Reichsvikariat innehatte, erhob er den Amerikaner in den Reichsgrafenstand. Dieser nahm als neuen gräflichen Namen den der Stadt Rumford an, heute Concord im amerikanischen Bundesstaat New Hampshire, wo er einst die Schule besucht und wo seine außergewöhnliche Karriere begonnen hatte.

Bayern war dem Grafen Rumford aber nicht nur des Englischen Gartens wegen – der seinen Namen von der der Natur angepaßten englischen Art der Parkgestaltung erhalten hat – dankbar. Der einfallsreiche Amerikaner hatte sich auch sonst als großer Gewinn für die bayerische Staatsverwaltung erwiesen. Als Kriegsminister

*Attraktion seit dem Biedermeier: Karussell am Chinesischen Turm*

Petra Moll

stellte er das Heerwesen des Kurfürstentums auf eine neue Basis, wobei er sich um Ordnung und Disziplin ebenso kümmerte wie um eine menschenwürdige Unterbringung und Versorgung der Soldaten und um die Freizeitgestaltung – bis hin zum sonntäglichen Tanz mit den Mädchen der Garnisonsorte. Rumford kümmerte sich um Fragen der Ernährung und sorgte dafür, daß die Kartoffel bekannt und beliebt wurde. In diesem Bereich war er nicht nur theoretisch tätig, er erfand eine Mahlzeit, die noch heute als »Rumfordsuppe« bekannt ist.

Diese Suppe kam Thompson-Rumford gelegen, als er mit einem Schlag das in Bayerns Hauptstadt grassierende Bettlerunwesen beseitigte – immerhin trafen zu Ende des 18. Jahrhunderts auf rund 60 000 Münchner 2 600 Bettler. Thompson richtete in der Vorstadt Au im früheren Paulanerkloster ein »militärisches Arbeitshaus« ein, das trotz seines wenig anheimelnden Namens zu einem Musterbeispiel gelungener Resozialisierung wurde. Werkstätten für alle Berufe wurden eingerichtet, Schlafräume mit Betten geschaffen, für ausreichende Verpflegung – siehe Rumfordsuppe! – gesorgt. Am 1. Januar 1790 war es soweit – die Bettler, am Neujahrstag in Aussicht auf besonders reichliche Gaben vollzählig unterwegs, wurden aufs Rathaus gebracht, in Registern erfaßt und nach Hause geschickt »mit der Anweisung, sich am nächsten Tag zu dem neu errichteten militärischen Arbeitshaus in der Au zu begeben, wo sie bequeme, warme Räume, jeden Tag ein gutes, warmes Essen und Arbeit für alle, die in arbeitsfähigem Zustand wären, vorfinden würden«. Und die Münchner Bettler kamen in die Au und sahen sich nicht getäuscht.

Dennoch, die Erinnerung an Rumford ist vor allem mit dem Englischen Garten verbunden. Schon zu seinen Lebzeiten überraschten ihn, nach der Rückkehr von einer Reise, »Münchens dankbare Einwohner mit einem Denkmal. Es steht heute noch.

Schicksal und Spannweite einer Stadt: Volkspark, Vergnügen und Gedenken an menschenfreundliches Handeln in der Vergangenheit auf der einen Seite – Erinnerung an Leid und Elend, Not und Tod auf der anderen. Vom Englischen Garten in die Kreuzstraße, in die Herzog-Wilhelm-Straße; Straßen zunächst, wie es Dutzende gibt in München, am Rande des alten Stadtkerns. Das Besondere ist zu spüren und zu erahnen, wenn der Herbst geht und wenn der Winter kommt, wenn Weihnachten näherrückt und der Schnee fällt. Dann beherrscht das Sendlinger Tor, nur wenige Meter von dieser Straßenecke entfernt, mächtig die dezemberliche Stimmung, das Rot seiner Ziegel gewinnt Symbolcharakter, erinnert an die blutige Mordweihnacht von 1705, an Tage, Monate und Jahre tiefsten Elends in Bayerns und seiner Hauptstadt Geschichte.

So läßt die Ecke Kreuz- und Herzog-Wilhelm-Straße, schon gar nicht im Winter, kaum an die Zeit Herzog Wilhelms V. des Frommen denken. Zu mächtig ist der Schatten des nahen Sendlinger Tors; dieser Schatten führt zurück in die Jahre, in denen Kurfürst Max Emanuel Bayern in die Position einer europäischen Großmacht zu bringen suchte. Der Versuch scheiterte – und die blutigen Ereignisse des Weihnachtstages von 1705 markieren in tiefer Tragik dieses Scheitern. Bayerns Griff nach einer der glänzendsten Kronen Europas schien zu glücken, als der kinderlose spanische König Karl II. den bayerischen Kurprinzen Joseph Ferdinand zum Universalerben einsetzt. Des Vaters Max Emanuel Erwartungen für sein Haus Wittelsbach stehen auf dem Höhepunkt. Da stirbt, 1699, der Sohn und spanische Erbfolger; der Sturz in Enttäuschung, Schmerz und Verbitterung ist tief. Es kommt zum Krieg um das spanische Erbe. Bayern kämpft auf der Seite Frankreichs gegen das Haus Habsburg und dessen Verbündete. Am 13. August 1704 dann die Entscheidung bei Höchstädt und Blindheim: Das kaiserliche Heer kommandiert Prinz Eugen, die

36

*Im Schatten des Sendlinger Tores: Detail aus der Kreuzstraße*

englischen Hilfstruppen der Herzog von Marlborough; der bayerische Kurfürst verliert Schlacht und Land, muß nach Brüssel fliehen und wird erst zehn Jahre später wieder nach Bayern zurückkehren können.

Bayern wird Besatzungsgebiet der Österreicher, die mit harter Hand regieren, siebenfach erhöhte Steuern aus dem Land pressen, gewaltsam Soldaten rekrutieren. Im Land beginnt es zu gären. »Mit Ingrimm sahen die Münchner Bürger, wie die kaiserliche Administration, von Landshut kommend, ihren Sitz im Herzen der Stadt, in der Herzog-Max-Burg aufschlug, während der Kurfürst, der rechtmäßige Landesherr, im Ausland weilte und seine Familie zerstreut war, er in Belgien, seine Gattin in Oberitalien, ohne Erlaubnis zurückkehren zu dürfen, die Kinder in München, und im selben Maß als die Empörung über die widerrechtliche Besetzung Münchens und den Druck der Fremdherrschaft wuchs, im gleichen Maß schwand die Erinnerung an das mancherlei Ungemach, das der Kurfürst seinen Untertanen schon verursacht hatte, wuchs das Mitgefühl mit dem Schicksal seiner Familie, leuchtete der Ruhm des einst von ganz Europa gefeierten Türkensiegers, der sich dem Lande mitgeteilt und dessen Ansehen gehoben hatte, und erschienen die kurfürstlichen Kinder, die in der Residenz fern von ihren Eltern leben mußten, wie ein Symbol für das Schicksal des Landes, eine lebendige Anklage und Mahnung«, beschreibt Max Spindler, der große alte Mann der bayerischen Geschichtsschreibung, die angespannte Situation.

Die bayerischen Bauern standen auf, formierten sich zur »churbayerischen Landesdefension«, riefen zu den Fahnen. Unzulänglich die militärische Führung, noch unzulänglicher die Bewaffnung, brachten sie die hartherzige Besatzungsmacht in Bedrängnis. Im Unterland, in Niederbayern, waren die Erfolge am größten. Auch im Oberland machen die Bauern mobil, für den 22. Dezember 1705 wird die Landesdefension nach Schäftlarn eingerufen. 2 769 Mann werden gezählt – und nur 500 von ihnen sind mit alten Gewehren bewaffnet, die anderen kommen mit Spieß und Morgenstern, mit Prügel und Sense. Der Marsch auf München wird beschlossen; die Nachricht, daß der Feind vorhabe, die kurfürstlichen Prinzen aus München wegzuführen, daß »mithin unser liebs Vatterland seines letzten Trostes völlig beraubt werde«, erregt die Gemüter noch mehr. Vom Unterland rechnet man mit 10 000 Mitkämpfern. Der Zug auf München beginnt.

Es wird ein Zug in den Tod. Die Unterländler kommen nicht bis München, dafür kommt kaiserliche Verstärkung. Vorteile, die die Bauern zunächst erringen, werden wieder verspielt. Die Oberländler sammeln sich verwirrt und unschlüssig in Sendling; die vor dem Sendlinger Tor den Österreichern übermittelte Aufforderung zur Übergabe Münchens bleibt leere Geste. Aus dem Sendlinger Tor brechen die kaiserlichen Reiter unter Oberst de Wendt, General Kriechbaum mit seinen Truppen zieht heran. Die Führer der Bauern sehen die Ausweglosigkeit, lassen dreimal Chamade, das Trommelzeichen der Ergebung, schlagen. Die Bauern glauben ihr Leben gerettet, als das Gemetzel beginnt. Feld und Dorf, Straße und Friedhof werden zum Schlachtfeld. Die letzten Bauern kämpfen an der Sendlinger Friedhofsmauer, unter ihnen, bayerisch-patriotischer Überlieferung nach, mit der Fahne der bärenstarke und riesengroße Schmiedbalthes aus Kochel. Dann ist alles vorbei.

»Die kaiserliche Soldateska hat zu Sendling mit grauser Mörderei 1 100 in rasender Wut hingemetzgert, indem sie am Tage, wo der Heiland durch seine Geburt, um uns das Leben zu geben, auf die Welt kam, dieser einfältigen Herde zwei- bis dreimal wortbrüchig das Leben nahm, endlich 500 Todwunde in die Stadt schleppte und der harten Winterkälte ausgesetzt aufs Straßenpflaster warf«, schreiben die Kapuziner in München entsetzt in ihr Jahrbuch.

*B*runnen schlafen im Winter, auch in München. Wie viele es sind, ist kaum zu sagen; es fällt schwer, ihre genaue Zahl festzustellen. Immerhin ist eine vor wenigen Jahren vom Münchner Stadtarchiv in Auftrag gegebene Bestandsaufnahme auf die stattliche Ziffer 554 gekommen. Mittlerweile sind es sicher noch mehr Brunnen, die, ihres wichtigsten Elementes, des Wassers, beraubt, die Monate voll Eis und Schnee unter schützender Holzverkleidung oder in unverhüllter, gegen die Kälte gerichteter Selbstbehauptung überdauern, um neue Kräfte zu sammeln für wärmere Zeiten. München zählt nicht nur zu den brunnenreichsten Städten Deutschlands, sondern ganz Europas; auch die Annahme, daß in der Zahl der Brunnen keine andere Metropole mit Bayerns Hauptstadt mithalten kann, hat viel für sich. Brunnen prägen, weil sie lebendig sind, in besonderer Weise das Gesicht Münchens. Daß dies vor allem bei jenen der Fall ist, die durch ihre Geschichte, durch künstlerische Qualität und durch den Platz, an dem sie stehen, herausragen, liegt auf der Hand. Der Wittelsbacher Brunnen am Lenbachplatz gehört in diesen illustren Kranz strahlender Münchner Brunnen – unverzichtbarer Bestandteil des Stadtbildes, allzeit und immer wieder des Sehens und des Staunens wert.

Der Wittelsbacher Brunnen, an städtebaulich exponierter Stelle gelegen, am Ende des großen und verkehrsreichen Lenbachplatzes und vor dem leicht erhöhten baumbestandenen Parkgelände des Maximiliansplatzes, verdankt sein Entstehen eher nüchternem Anlaß. Die Stadt München hatte in den achtziger und neunziger Jahren des vorigen Jahrhunderts, Anregungen des Hygiene-Pioniers Max von Pettenkofer folgend, ihre Wasserversorgung auf eine neue Grundlage gestellt. Der Erinnerung an den Abschluß dieses Vorhabens sollte der Brunnen gewidmet sein. Als es darum ging, den Auftrag zu vergeben, fiel die Wahl der Stadtväter auf Adolf Hildebrand.

Hildebrand, 1847 in Marburg geboren, kannte München. Dort hatte er bei Kaspar von Zumbusch studiert. Seinen endgültigen künstlerischen Weg fand und seine stilistische Prägung erfuhr Hildebrand in Italien, in Rom und Florenz. Er wurde zum bedeutendsten Vertreter der neuklassischen Richtung des ausgehenden 19. Jahrhunderts, der, in Anklang an die Antike und an die italienische Frührenaissance, das Ideal einer neuen und klaren Einfachheit zur Vollendung führte. So erreichte Hildebrand bei seinem Wittelsbacher Brunnen eine Einheit von Platz und Kunstwerk, die gar nicht den Gedanken aufkommen läßt, daß der Brunnen nicht schon immer da gestanden habe.

Mittelpunkt der Anlage Hildebrands wurde der »Römische Brunnen«, dessen Doppelschale und dessen im Sommer wehende Wasservorhänge im Beschauer südliche Vorstellungen erwecken. Dann die beiden Hauptfiguren, die diesen Mittelpunkt säumen, den Blick auf ihn hinführen: Ein Mann mit drohend erhobenem Stein, auf einem Drachenroß reitend, steht als Sinnbild für die zerstörerische Gewalt des Wassers, eine Frau mit einladend gehobener Schale, auf einem stierähnlichen Fabelwesen sitzend, weist auf die segenbringende Kraft des Elements. Die Anmut und Harmonie, die Kraft und die Lebendigkeit der Figuren Hildebrands, die den Wittelsbacher Brunnen zu einem seiner Hauptwerke werden ließen, sind von Anfang an bewundert und gerühmt worden. »Es sind Sachen von einer Klarheit, Ruhe und Lebendigkeit wie die Antike; man wird hier in der Kunstgeschichte einen Abschnitt machen«, schrieb der berühmte Kunsthistoriker Heinrich Wölfflin.

Auch die Münchner Auftraggeber waren mit Hildebrands Werk wohl zufrieden; nicht zuletzt war es auch Prinzregent Luitpold, nach dem der Brunnen zunächst benannt werden sollte. Dazu kam es dann aber nicht, weil die Bescheidenheit des Regenten den an das bayerische Herrscherhaus gemahnenden Namen »Wittels-

*Adolf von Hildebrands Meisterwerk: der Wittelsbacher Brunnen*

bacher Brunnen« einer auf seine Person bezogenen ehrenden Benennung vorzog. »Die Vertretung der Stadt München hat sich ein unvergängliches Verdienst erworben, sowohl durch die Schaffung der Kanalisation als auch durch die Versorgung mit gesundem, reichlichem Wasser. Die künftigen Jahre erst werden diese, der Stadt so segensvolle Einrichtung zur Geltung bringen. Ich betrachte den schönen Monumentalbrunnen, ein Meisterwerk aus der Hand des bewährten Bildhauers Hildebrand, als die Krönung von all dem. Nun wünsche ich, daß die Wasser fließen«, schloß Prinzregent Luitpold seine Einweihungsrede. So kam es auch, wie die »Münchner Neuesten Nachrichten« in ihrer Ausgabe vom 14. Juni 1895 anschaulich berichteten: »Da – ein Rieseln und Murmeln, ein Plätschern und Plaudern, dann ein Rauschen und Tosen, und dann brach sie hervor, die Phantasie und Gemüt so wunderbar erregende Zaubermacht, die kristallhelle Flut in wuchtig wogender Fülle. Im Angesicht der herrlichen Allegorien der zerstörenden und der wohltätigen Kraft des Wassers – nur ein wenig Einbildungskraft, und mit schaumiger Mähne stürzen die prächtigen Rosse Poseidons hervor aus der bewegten Flut.«
Die Begeisterung der Zeitgenossen setzte den Wittelsbacher Brunnen der Fontana di Trevi in Rom gleich. Es kam aber nicht nur Hildebrands Brunnen nach München, drei Jahre später folgte dem Werk auch der Künstler. Die in einem Brief des Münchner Bürgermeisters geäußerte Frage, welche besondere Ehrung die Stadt ihm denn »in Anbetracht der geringen Entschädigung« für die Arbeit am Wittelsbacher Brunnen erweisen dürfe, hatte der Bildhauer offen beantwortet: ». . . So erlaube ich mir, Ihnen frei heraus zu sagen, daß es mir eine besondere Freude wäre, böte man mir die Gelegenheit, mich dauernd in München niederzulassen.« Die Gelegenheit bot sich. Hildebrand, von Prinzregent Luitpold mit dem persönlichen Adel geehrt, wurde Münchner und blieb es bis 1921, bis zu seinem Tod.

45

Winterliches München wird im Herzen der Stadt stets dann auf eindringliche Art und Weise hörbar und spürbar, wenn sich die Turmbläser aufmachen zu ihrem klingenden Werk; wenn vom Turm der Peterskirche getragene weihnachtliche Weisen erklingen; wenn der Unterschied zwischen hektischem Treiben tief unten in den Straßen und dem hoch über die Dächer der Stadt verlegten musikalischen Geschehen recht augenfällig wird und wirkt; wenn für Stunden die Wirklichkeit wie ausgelöscht scheint. Der Zauber, der sich dann entfaltet, könnte schon deshalb münchnerischer nicht sein, weil die Peterskirche und ihre Umgebung jenen Platz kennzeichnen, auf dem die ersten, vom Kloster Tegernsee kommenden Mönche siedelten. Die Pfarrei von St. Peter, wohl schon im Jahre 1169 gegründet, ist die älteste Münchens.

So ist es nicht verwunderlich, daß die Pfarrkirche St. Peter von Geschichte, Bau und Ausstattung her zu den traditionsreichsten und ehrwürdigsten Münchens gehört. Die heutige Kirche geht im Kern auf eine gotische Basilika aus dem 13. Jahrhundert zurück, der, nach mancherlei Umbauten, im Barock ein jubelndes bayerisches Festgewand übergeworfen wurde. Trotz Kriegszerstörung und schmerzlicher, nicht wiedergutzumachender Schäden und Verluste strahlt die Peterskirche, deren Wiederaufbau eine der ersten großen Taten Münchens nach dem Zweiten Weltkrieg war, auch heute noch als leuchtendes Beweisstück bayerischer Frömmigkeit. Die Liste der Künstler, die durch die Jahrhunderte an Bau und Ausstattung von St. Peter mitgewirkt haben, könnte eindrucksvoller und bayerischer kaum sein: Erasmus Grasser und Johann Baptist Zimmermann, Ignaz Anton Gunezrhainer und Egid Quirin Asam, Ignaz Günther, Jan Polak und Johann Carl Loth sind zu nennen.

Die bürgerlichen Nachbarn wollten teilhaben an Ansehen und Wohlklang, die Namen und Geschichte von St. Peter umwehten: Eine Reihe von Hausbesitzern vom

*Münchner Dreiklang: Rindermarkt, Peterskirche, Löwenturm*

Petra Moll

angrenzenden Rindermarkt unternahm im vorigen Jahrhundert mehrere Vorstöße, den Namen ihres Platzes zu ändern, ihn in »St.-Peter-Straße« umzubenennen. Die Absicht wurde damit begründet, daß der bisherige Straßenname, auch wenn er auf historischer Grundlage beruhe, bei längst geänderten Verhältnissen – also bei nicht mehr stattfindendem Rindermarkt – seine Bedeutung verloren habe; zudem sei der Name »unschön oder bei der bezüglichen Einwohnerschaft nicht mehr beliebt«. Die Rindermarkt-Anwohner blieben erfolglos: Aufgrund einer Entschließung des königlichen Staatsministeriums des Innern lehnte der König am 27. November 1872 das Ansinnen ab. In den folgenden Jahren versuchten die »Rindermarktler« immer wieder, den ihnen mißfallenden Straßennamen loszuwerden – vergebens, der Magistrat beschied wiederholte Gesuche im Jahre 1886 endgültig abschlägig.

»Die jetzige Benennung Rindermarkt erscheint urkundlich nicht vor 1430, deutet aber sicher an, daß dort einst Viehmärkte abgehalten wurden. Später diente der freie Raum zum Verkauf von roh zubereitetem Geflügel und im vorigen Jahrhundert zu dem des Auer-Brotes. Doch sind in den Gebäuden des Rindermarktes auch wichtige Handlungen vor sich gegangen, welche wohlbegründeten Anspruch auf geschichtliches Andenken haben, wenn diese Vorgänge heute gleichwohl dem großen Publikum weniger bekannt sind. Am Rindermarkt, als einem der höchst gelegenen Stadtteile, befanden sich ferner die besten Keller, welche meistens groß und weit gebaut und vermietet waren. Sie waren zunächst zur Lagerung des Weins bestimmt gewesen, der damals in München weit mehr als das Bier getrunken wurde«, heißt es in einer gegen Ende des 19. Jahrhunderts erschienenen Beschreibung und Erklärung der Münchner Straßennamen.

Das Auer-Brot, das Brot aus der Vorstadt Au, war über Jahrhunderte Anlaß zu heftigem Streit zwischen den Bäckern aus der Stadt, die ihre Privilegien bis auf

Kaiser Ludwig den Bayern zurückführten, und den Bäckern aus der Au, denen eh' nur das Backen von Sauer- oder Schwarzbrot erlaubt war. In dieser Spezialität freilich waren die Auer überlegen, ihr kerniges Brot erfreute sich größter Beliebtheit auch in der Stadt. So wurde den Bäckern von jenseits der Isar die Genehmigung erteilt, jeden Mittwoch in Verkaufsständen auf dem Rindermarkt, wo die Tradition eines »Tröndel-Marktes« weit zurückreichte, anzubieten. Klagen der Münchner Bäcker wurden in einem »Hof- und Polizeyrats«-Gutachten mit der Mahnung zurückgewiesen, »auch dergleichen Roggenbrod in der nemlichen quantitet und qualitet abzubachen und solches sowohl auf dem Brodhauß als in ihren Bäckerläden« den Kunden zu offerieren. Bis 1827 standen die Auer Bäcker am Rindermarkt, dann zogen sie mit ihren Ständen auf den Viktualienmarkt um. Ein Ausgleich zwischen Rindermarkt und Au fand erst viel später statt: In der Auer Dult, dreimal im Jahr eine der liebenswürdigsten Münchner Attraktionen, lebt ein Stück Verkaufstradition des Rindermarktes fort.

Am Rindermarkt, in der Nähe des Löwenturms, pulsierte nicht nur wirtschaftliches Leben. Adelspalais drängte sich an Adelspalais, der Platz war das, was man heute eine bevorzugte Münchner Wohngegend nennt. Auch die Wittelsbacher, das regierende Herrscherhaus, waren vertreten. Gegen Ende des 16. Jahrhunderts erwarb hier Herzog Ferdinand von Bayern, ein Bruder von Herzog Wilhelm V., drei Anwesen und baute sie standesgemäß aus. Nicht standesgemäß war, nach den Begriffen der Zeit, die Hausherrin, die sich Ferdinand holte: Ferdinand heiratete in morganatischer Ehe Maria Pettenbeck, Tochter eines herzoglichen Landrichters, und begründete damit die gräflich Wartenbergsche Seitenlinie des Hauses Wittelsbach. Sechzehn Kinder, acht Buben und acht Mädchen, wurden dem Paar am Rindermarkt geboren. Dennoch starb das Geschlecht schon 1736 aus.

»Es war am 19. Januar Anno 1895 an einem klirrenden, kalten Winterabend. Da erblickte mich das Licht der Welt, inmitten der Münchner Altstadt. Dieses Licht kam aus einer Petroleumlampe, die qualmte und rußte. Vier Stockwerke über dem Viktualienmarkt, Blumenstraße 4, in einem grauen Mietshaus hörten die Bewohner jäh ein Geschrei durchs Treppenhaus: ›Beim Schreiner oben, da ist's soweit!‹ Aber die Hebamme kam zu spät. Sie war auf dem Maskenball des Sterbekassenvereins ›Fröhlichkeit‹. An Lichtmeß wurde ich auf die Namen Ernst Peter August getauft. Es war der kälteste Tag des Jahres, und im Taufbecken war das Weihwasser eingefroren. Der Mesner sagte: ›. . . Dös bedeutet allerhand‹.« Der damals so winterlich-unterkühlt auf Erden angekommen war, Ernst Hoferichter, wuchs sich im Laufe eines bewegten Lebens zu einem Schriftsteller aus, der, weltweite Sehnsucht und Liebe zur Heimatstadt gleichermaßen im Herzen, München zu begreifen und besonders liebevoll mit der Feder zu zeichnen wußte. Daß dabei der Viktualienmarkt nicht zu kurz kam, verstand sich bei der geographischen Geburtsnähe von selbst.

Eingesessenen wie Gästen gilt der Viktualienmarkt nicht selten als jener Platz, wo München am münchnerischsten ist. Nüchternes Marktgeschehen erhält durch bayerische Individualität und Münchner Lebensart eine besondere Atmosphäre, die sich dem Spaziergänger ebenso erschließt, wie sie die Hausfrau, die tägliche Einkäufe aus einem kaum aufzählbaren Angebot heraus tätigt, verspürt und liebt. »Auf dem Viktualienmarkt dürfen in der Regel nur Lebensmittel, deren Verkauf auf demselben herkömmlich ist, wie Garten-, Wald- und Feldfrüchte, Butter, Schmalz, Honig, Eier, Lämmer, Kitze, Spanferkel, Wildbret, Geflügel, Fische, Krebse, Schnecken, Froschschenkel, Brot und nur neben Lebensmitteln auch Blumen feilgeboten oder verkauft werden. Ausnahmen bedürfen der besonderen Genehmi-

51

gung«, hatte der Magistrat der Kgl. Haupt- und Residenzstadt München in seiner Viktualienmarktordnung vom 8. Mai 1903 verfügt. Die Vielfalt des damals behördlich umrissenen Angebotes blieb bis auf den heutigen Tag Kernbestand, wurde freilich über seinen bäuerlich-bayerischen Charakter hinaus beträchtlich erweitert. Im Schatten der Heilig-Geist-Kirche finden sich jetzt Köstlichkeiten aus aller Welt, wobei aber auch Exotisches durch das charakteristische Flair des Viktualienmarktes bodenständige Selbstverständlichkeit gewinnt.

Der Viktualienmarkt der Landeshauptstadt verdankt seinen Platz einem Dekret von König Max I. Joseph aus dem Jahre 1807. Folgt man freilich der Volksweisheit, daß Essen und Trinken Leib und Seele zusammenhalten, so schloß sich schon damals – und erst recht heute, da im Schatten des von den Münchner Brauereien aufgerichteten Maibaums ein Miniatur-Biergarten sich entfaltet – der Viktualienmarkt der Tradition des einst an seiner Stelle stehenden Heilig-Geist-Spitals an. Seit 1208 wurde in diesem Münchner Spital – wie die meisten anderen mittelalterlichen Einrichtungen dieser Art nach dem Heiligen Geist, dem Geist der Liebe benannt – für Bedürftige und Kranke gesorgt. Münchner Großherzigkeit wandte sich über Jahrhunderte in Schenkungen und Stiftungen dem Heilig-Geist-Spital zu – neben einem umfangreichen Haus- und Grundbesitz hatte sich, als 1807 im Aufklärungseifer alle Wohltätigkeitsanstalten der königlichen Verwaltung unterstellt wurden, ein Gesamtvermögen von über 600 000 Gulden angesammelt.

Das Spital ist verschwunden, gute Nachbarschaft aber zwischen der Heilig-Geist-Pfarrei und dem Viktualienmarkt besteht weiter. Geistliches und weltliches Nebeneinander hat in Bayern allezeit reibungslos bestanden. Und fröhliche Weltlichkeit ist ein ausgeprägtes Merkmal des Viktualienmarktes – bis zum Markttreiben am Faschingsdienstag, aber auch hin bis zu den Münchner Volkssängern und -schau-

*Münchnerisch wie kaum sonstwo: Liesl-Karlstadt-Denkmal am Viktualienmarkt*

Petra Moll

spielern, denen die Stadt und ihre Bürger nicht von ungefähr auf dem Viktualienmarkt ihr Denkmal gesetzt haben. »Der Urgrund des Volkssängertums liegt in der schauspielerischen Begabung des bajuwarischen Stammes, im Drang zum mimischen Ausdruck, zum Sich-sehen-und-hören-Lassen, vor allem zur eigenen Freude und zur Freude der anderen«, hat Joseph Maria Lutz, als Neubearbeiter des Textes der Bayern-Hymne hinreichend als kompetent ausgewiesen, einst analysiert. Vor allem aber kam hinzu, daß es die Volkssänger nicht nur verstanden, dem Volk aufs Maul zu schauen, sondern auch zu artikulieren, welche Sorgen die Menschen drückten, welcher Ärger sich Luft verschaffen wollte und mußte. Drei Vertreter dieser speziellen Münchner Kunstgattung blicken von ihren Denkmalssockeln auf das Geschehen des Viktualienmarktes herab: der Weiß Ferdl, Karl Valentin und die Liesl Karlstadt.

»1911 lernte ich im Frankfurter Hof meine Partnerin Liesl Karlstadt kennen. Ich entdeckte ihr komisches Talent, und wie sie die ersten Jahre meine Schülerin war, so wurde sie später meine Mitarbeiterin und Mitverfasserin meiner Stücke«, hat Karl Valentin geschrieben. Zeitlebens blieben die beiden Künstler zusammen, wurden gemeinsam zu einem Begriff für herzhaftes Lachen und hintergründigen Humor, der mühsame Denkumwege nur deswegen zu gehen schien, um dann um so direkter ins Schwarze treffen zu können. Textilverkäuferin war die in der Münchner Zieblandstraße geborene Elisabeth Wellano gewesen, ehe sie als Liesl Karlstadt den Sprung auf die Bühne und in eine Karriere wagte, die auch nach Karl Valentins Tod im Jahre 1948 weiterging. 1960 ist Liesl Karlstadt, 68jährig, gestorben. Daß sie einmal, in Erz gegossen, zu Denkmalehren kommen würde, hat sie sich wohl nicht träumen lassen. Das Lächeln, das ihr bronzenes Gesicht umspielt, könnte auch diesem Umstand gelten.

Der Alte Hof, von 1253 bis 1474 der erste Sitz der Wittelsbacher in München, hatte im Winter von 1780 auf 1781 prominente musikalische Nachbarschaft. In der Burggasse Nr. 6 war Wolfgang Amadeus Mozart daran, seine Oper »Idomeneo« zu vollenden. Diesmal hoffte er, sein langersehntes Ziel, eine feste Anstellung am Münchner Hof, zu erreichen; frühere Aufenthalte in der bayerischen Residenzstadt hatten ihm zwar stets allerhöchstes Lob, indessen keinen Posten eingebracht, weil keine »Vacatur«, keine freie Stelle, da sei. Jetzt waren die Erwartungen um so höher gespannt, da bei einer weihnachtlichen Generalprobe der Kurfürst sich wieder zu höchster Anerkennung verstiegen hatte. »Man sollte nicht meinen, daß in einem so kleinen Kopf so was Großes stecke«, hatte er zu Mozart gemeint. Auch die Uraufführung des »Idomeneo« am 19. Januar wurde ein vielgelobter Erfolg. Das kurfürstliche Wohlwollen schien zu strahlen. Aber der Winter verging und mit ihm die Hoffnung. Am 16. März 1781 reiste Mozart ab. Die Gedanken an die Wittelsbacher und an den von ihnen gebauten Alten Hof, den Mozart einen Winter lang Tag für Tag vor Augen gehabt hatte, dürften nicht allzu freundlich gewesen sein.

Der Alte Hof trägt diesen Namen erst seit 1827; zuvor hieß er »Alte Veste«, im Gegensatz zur »Neuen Veste«, deren 1398 begonnener Bau jenen Platz markiert, auf dem heute die Residenz steht. Ein zusätzlicher Name des Alten Hofes, »Ludwigsburg«, weist auf den, auf die Erbauer hin: Herzog Ludwig der Strenge begann nach einer der üblichen Wittelsbacher Erbteilungen seine oberbayerische Residenz in München zu errichten; sein Sohn, Kaiser Ludwig der Bayer, baute die Burganlage weiter aus. In die ersten Baujahre des trotzig-trutzigen Vierecks, damals an der Nordostecke der ältesten Münchner Stadtmauer gelegen, fällt jenes blutige Geschehen, das Herzog Ludwig den eher verharmlosenden Beinamen »der Strenge«

*Von der Kaiserpfalz zum Finanzamt: der Alte Hof*

Petra Moll

eintragen sollte: Der Herzog, verheiratet mit Maria, einer Tochter des brabantischen Herzogs Heinrich des Großmütigen, hält sich zu Anfang des Jahres 1265 in Heidelberg auf, als ihn eine unglückselige Verwechslung zweier Briefe seiner Gattin in grundlose Eifersucht stürzt. Ludwig ersticht den Boten, reist rasend und zornblind nach Donauwörth, wo auf seiner Burg Mangoldstein die ahnungslose Gemahlin wartet; er bringt den Burgvogt um und läßt am 18. Januar seine Frau mit dem Schwert hinrichten. Um das Maß der Untat vollzumachen, tötet der Herzog in seinem Blutrausch noch eigenhändig eine Hofdame und läßt zudem die Obersthofmeisterin vom Schloßturm in den Tod stürzen. Die kurze Raserei eines Wintertages zieht späte, aber lebenslange Reue nach sich; die Gründung des Klosters Fürstenfeld ist eine der Früchte dieser Reue.

Des strengen Ludwig gleichnamiger Sohn, des Herzogs Ehe mit Mechthild von Habsburg entsprossen, 27jährig 1314 gewählt und 33 Jahre lang, bis zu seinem Tod im Jahre 1347, Kaiser des Heiligen Römischen Reiches Deutscher Nation, setzt Bau und Ausbau des Alten Hofes fort. München wird zur Kaiserpfalz, zur Hauptstadt des Reiches. Im Alten Hof werden die Reichsinsignien aufbewahrt, von betenden Mönchen Tag und Nacht bewacht. Der Kaiser aus dem Wittelsbacher Stamm wäre als Ludwig IV. zu zählen, aber kaum einer kennt ihn so, niemand nennt ihn so. Als Ludwig der Bayer ist er in die Geschichte eingegangen – aber auch das, was wie Ehrentitel und Auszeichnung klingt, war zunächst als Schmähung gedacht: Der Papst, in Avignon sitzend und Werkzeug französischer Politik, nannte den Kaiser verächtlich »Bavarus«, den Bayern, weil er ihn nicht mit dem Titel Kaiser ehren wollte.

Ludwig der Bayer — von dem die Sage erzählt, daß ihn einst als Kind ein zahmer Affe genommen und mit ihm im Alten Hof auf luftige Dacheshöhe geturnt sei, von wo ihn das Tier erst nach langem Zureden wieder der besorgten Mutter zurückgebracht hätte – baut seine Münchner Residenz nach dem großen Stadtbrand von 1327 verstärkt aus. Der Alte Hof und mit ihm München werden zu einem politischen und geistigen Zentrum Europas. Die gelehrtesten Theologen der Zeit, die im Streit mit dem Papst auf des Kaisers Seite stehen, Wilhelm von Occam beispielsweise oder Marsilius von Padua, führen vom Alten Hof aus Ludwigs Sache.

Mit Ludwig des Bayern Tod – er stirbt in den Armen eines Bauern in der Nähe des vom Vater gestifteten Klosters Fürstenfeld – geht die Ära des Alten Hofes zu Ende, der fürstliche Glanz erlischt. Mehr und mehr steigt die Neue Veste zur dominierenden Residenz auf. Die »Ludwigsburg« wird für profane Zwecke verwendet, das Rentamt dort untergebracht. Aber Besucher rühmen immer wieder den Bau, den Turm, den schönen Erker vor allem. »Nun ist aber ein Turm darunter, / An dem kann sehen einer Wunder, / Den Meister soll man billig loben, / Spitzig ist er unten und oben, / Rührt' weder Erd' noch Himmel an, / Tut dennoch unbeweglich stahn«, staunte 1611 in holperigen Versen ein München-Besucher.

Zweckentfremdung, Umbau, teilweise Abbrüche fanden im Bombenhagel des Zweiten Weltkriegs einen traurigen Schlußpunkt. Zwanzig Jahre währte der Wiederaufbau – gelungenes Beispiel für die Erhaltung eines für die bayerische, für die deutsche und europäische Geschichte bedeutsamen Bauwerks. Die Rekonstruktion des Torturms stellt, auch in seiner gelungenen Farbigkeit, den Mittelpunkt dieser Wiederherstellung dar. Freilich, der »Rittersaal« Kaiser Ludwigs des Bayern ist heute Kantine für Finanzbeamte: Der Alte Hof birgt das Zentralfinanzamt München. Ein Flügel der Bauanlage zumindest könnte unzulässige Assoziationen wecken: Neben Lorenzi- und Pfisterstock, neben Brunnenstock und Burgstock gibt es auch den Zwingerstock, der indes nur an die kaiserliche Menagerie erinnert.

Einen winterlichen Gang durch München an der Frauenkirche enden zu lassen, empfiehlt sich nicht nur wegen des weihnachtsfrohen Christkindl- und Kripperlmarktes im Herzen der Stadt. Die Krippe in der Kirche Unserer Lieben Frau mit ihren herrlichen Holzfiguren und ihrem prachtvollen Landschaftshintergrund vermag inwendige Weihnachtswärme zu wecken; auch dann, wenn die schneebedeckten Hauben der Frauentürme im kalten Winterhimmel stehen und gelassen auf das Wehen eisiger Winde herabblicken. Die Standfestigkeit der Frauenkirche zu erschüttern, vermögen die häufig und heftig um den gewaltigen Bau tosenden Stürme nicht, mag man ihnen auch teuflichen Ursprung und teuflische Kräfte zuschreiben. Dies hängt mit dem »Teufelstritt« zusammen, einen in das Kirchenpflaster gehauenen Abdruck eines menschlichen Fußes, der an der Ferse zudem einen Sporn hat. Als die Kirche fertig, aber noch nicht geweiht war, so berichtet die Sage, habe sich der Teufel neugierig durchs Portal geschlichen und grimmig das Gotteshaus betrachtet; plötzlich habe er laut aufgelacht, voller Freude auf den Boden gestampft und so seinen Fußtritt hinterlassen. Von der Stelle aus, wo der Teufel stand, konnte er, der mächtigen Pfeiler wegen, kein Fenster sehen und meinte schadenfroh, daß diese beim Bau vergessen worden seien. Ein Schritt weiter in die Kirche hinein gab den Blick auf die Fenster frei. Voll Zorn ob seiner Enttäuschung verwandelte sich der Teufel in einen Sturm und suchte, freilich vergeblich, die Kirche zum Einsturz zu bringen.

Nicht ein teuflischer Wind – der Zweite Weltkrieg schien das Ende der Frauenkirche, seit 1821 Dom und Metropolitankirche der wiedergegründeten Diözese München und Freising, zu bringen. Spreng- und Brandbomben von fünf Fliegerangriffen – der erste am 10. März 1943, der letzte am 25. Februar 1945 – taten ihre verheerende Wirkung.

Staat und Kirche, Stadt und Bürgerschaft taten sich zu einem beispielhaften Werk des Wiederaufbaus zusammen. Was mit der Entfernung von 3000 Kubikmetern Schutt aus dem Kirchenschiff, geleistet von freiwilligen Helfern, begann, endete nach mehr als einem Jahrzehnt mühsamer und oft gefährlicher Arbeit am 13. Oktober 1957. Die Frauenkirche war wiedererstanden.

Einsatz und Leistung dieser Jahre erinnern an die Anfänge der Kirche, führen zurück ins 15. Jahrhundert, als sich eine kleine Stadt von gerade 12 000 Einwohnern an einen Kirchenbau wagte, der, obwohl es mit St. Peter schon eine andere Pfarrkirche gab, mehr Gläubige faßte, als München Bürger zählte. Dabei wurde die Kirche, die heute nicht minder beeindruckend im Herzen der Millionenstadt weltliches Alltagsbauwerk majestätisch überragt, in nur zwanzig Jahren gebaut. Jörg von Halspach – der geschichtlich nicht belegte Name Jörg Ganghofer kam erst im 18. Jahrhundert auf – war der Baumeister; als er den letzten Stein gesetzt hatte, starb er. »Maister Jörg vo Halspach maurer dis Gotshauß unser Fraue der mit der hilff gots und seiner hat de erste de mittln und lostn stain hat volfuert an disem pau der leit hie begrabe«, steht auf seinem Grabstein in der Frauenkirche.

Zur Frauenkirche gehören die Frauentürme – Türme, die für die Prägung des Münchner Stadtbildes nicht ihresgleichen haben. Sie sind zum Münchner Markenzeichen schlechthin geworden, bekannt in aller Welt. Doch selbst millionenfache Abbildung, nicht selten mit der Gefahr der Abnutzung verbunden, konnte ihrer Erhabenheit, deren Strenge durch die Hauben freundliche Abrundung erfährt, keinen Abbruch tun. Wilhelm Hausenstein, der sonst so Maßvolle, wurde schier überschwenglich, als es die Schönheit der Frauenkirche zu schildern galt: »Man redet von ihr, als gäbe es nur eine einzige Kirche Unserer Lieben Frau. Man hat nicht gänzlich unrecht. Die Frauenkirche, deren Helme in edlem Grünspan der

*Wo bayerisches Maß seinen Ausgang nimmt: die Frauenkirche*

Petra Moll

Jahrhunderte vor den schneeichten Graten, den bläulichen Hängen bayerischer und tirolischer Alpen kugelig gerundet sind, ist ihres Namens zwischen den deutschen Domen im stärksten Sinne teilhaftig. Alte Liebe der Einheimischen, die von den hohen Ufern der Isar, ja von der Terrasse des blühenden Schloßgartens zu Dachau und von den herbstlichen Kastanien des Freisinger Domhofes her die lichtgrünen Kuppeln sucht, aber auch erregte Neugier der Zureisenden, die aus den Fenstern ihres Wagens die endliche, die richtige Ankunft von der Patina der Kugeln bestätigt sehen – tausendfältige Gewohnheit und Liebe, Treue und Erregung hat der Metropolitankirche zu München den Namen der Lieben Frau, die drüben am Platz, auf dem Halbmond über der rosigen Marmorsäule auch noch eine Heimat unter offenem Himmel hat, fast wie ein Vorrecht zuerkannt.«

Schließt ein Gang durch München am Frauenplatz und an der Frauenkirche, so hat der Weg nicht nur bildlich in das Herz der Stadt, in ein bayerisches Zentrum geführt: Der Nordturm der Frauenkirche ist seit 1801 der Achsennullpunkt des alten bayerischen Landvermessungssystems. Zwangsläufig also eignet sich der Punkt, von dem bayerisches Maß ausgeht, als Ort der Nachdenklichkeit und des Bedenkens. Hierzu wiederum lädt die gedämpftere Jahreszeit, der Winter, bevorzugt ein. Denken andererseits ist dem Träumen verwandt; und dafür ist München – vielfältige literarische Zeugnisse belegen es – in besonderer Weise geschaffen. Allen, die ihn wegen eines München-Aufenthaltes »in Winters schlimmer Zeit« bedauern wollten, hat der Schwabe Justinus Kerner im vorigen Jahrhundert jubelnde Antwort gegeben: »Erlösch' des Himmels Wärm' und Licht, / Hier fühlte man doch Wärm' und Wonne. / Aus Herzen und aus Bildern bricht / Zu München eine eigene Sonne.« Münchner Wirklichkeit – damals wie heute: Traumstadt im Winter.